D1541507

BOOK SOLD
NO LONGER R.H.P.L.
PROPERTY

RICHMOND HILL
PUBLIC LIBRARY

FEB 2 5 2015

CENTRAL LIBRARY
905-884-9288

Tsuki
princesse de la Lune

Conte musical
Suzanne De Serres

Illustrations
Virginie Rapiat

Musique et
production du CD
La Nef

« Conter fleurette »

À mes chers loulous, pour le plaisir
de partager avec vous ce
proverbe japonais :
*L'espace d'une vie est le même,
qu'on le passe en chantant ou en pleurant.*

Suzanne

Pour Léonie, Louanne, Marie,
Mathilde et Pierre.

Virginie

Il était une fois, il y a très, très longtemps, un vieil homme et une vieille dame. Ils vivaient tout près d'une forêt de bambous. Le vieil homme s'appelait Monsieur Sakaki. Il était coupeur de bambous. Sa femme, Madame Aiko, tressait les bambous coupés et en faisait de jolis paniers.

Le couple vivait paisiblement. Malheureusement, ils n'avaient jamais eu d'enfants, même s'ils avaient prié tous les dieux de leur en envoyer.

Un bon matin, Monsieur Sakaki
est au travail. Il coupe, puis coupe
des bambous dans la forêt. Tout à
coup, il entend une jolie mélodie
résonner au loin.
— Qu'est-ce que c'est? dit le
vieux coupeur de bambous.
Je n'ai pourtant pas rêvé?
J'ai entendu la plus merveilleuse
des musiques tout près d'ici!

Sans bouger, Monsieur Sakaki
tend l'oreille.
— Ah, mais tu es une coquine!
Où es-tu, d'où viens-tu?

Monsieur Sakaki se faufile entre
les bambous et cherche d'où
vient la musique. Il aperçoit alors
quelques feuilles qui tremblotent.
— Ah! voilà un indice! se dit-il.

Il s'approche sans faire de bruit.

— Comment est-ce possible ? Un bambou qui chante ?

Délicatement, avec son couteau, il coupe la tige de bambou pour voir ce qui se cache à l'intérieur.
— Je rêve ! dit Monsieur Sakaki.

Tout au fond du bambou, il y a une toute, toute petite fille qui joue de la flûte. Lentement, il incline la tige et la petite flûtiste glisse dans le creux de sa main. Tout excité, Monsieur Sakaki court à la maison et entre en coup de vent.
— Regarde, regarde Aiko !

Monsieur Sakaki ouvre la main et la toute, toute petite fille apparaît.
— Quelle merveille ! Les dieux ont entendu nos prières ! s'écrie la vieille dame.

Monsieur Sakaki et Madame Aiko se mettent alors à danser, à danser et à danser de joie. C'est le plus beau jour de leur vie !

Avec le temps, la petite fille nommée Tsuki grandit. Elle chante, elle joue de sa flûte et, parfois même, elle tresse des petits paniers pour y coucher ses poupées.

Tsuki invite souvent ses amies à la maison. Elle adore jouer à roche-papier-ciseaux avec elles.

Otchalaka
Otchalaka
Otchalaka hoy

Otchalaka
Otchalaka
Otchalaka hoy

Otchalaka
Otchalaka
Otchalaka hoy

Tandis que Tsuki joue à roche-papier-
ciseaux, son papa travaille dans la
forêt et, tous les matins, une
incroyable surprise l'attend. Il trouve
de la poudre d'or dans chaque
bambou qu'il coupe. Monsieur Sakaki
devient très, très riche et il fait
construire un magnifique palais pour
sa famille.

Tsuki continue de grandir, de grandir,
de grandir tellement que, trois mois
plus tard, elle est devenue une
ravissante princesse. Elle est si belle
que tous les jeunes garçons du pays
viennent la courtiser. Mais son père,
pour la protéger, lui interdit de sortir
du palais.

Tsuki s'ennuie. Pour se distraire, elle
joue de la flûte chaque soir en
regardant la Lune.

La merveilleuse musique de Tsuki
charme tous les princes du pays.
Ils se bousculent sous sa fenêtre pour
l'écouter, en espérant l'apercevoir.
Mais Tsuki ne les regarde jamais.
Au fil des lunes, les garçons se
découragent peu à peu, sauf trois
princes vraiment amoureux de Tsuki.

Chacun des princes décide alors de
lui écrire une lettre pour la séduire.

Quelques jours plus tard, Tsuki reçoit
les trois lettres en même temps.

Elle lit la première lettre, signée par le prince Hosomenomiushi.

Nuit éblouissante,
j'entends vos notes envoûtantes
remplies d'écho et d'amour.
Mademoiselle, je vous le dis,
je vous aime à la folie.

Tsuki lit la deuxième lettre, signée par le prince Futomenomikoto.

Belle nuit de printemps,
ciel splendide, un son lointain
éveille mon amour.
Beau matin sous le soleil,
vint mon écho criant « je t'aime ».

Et voici la troisième lettre, signée par le prince Nalikinnomalo.

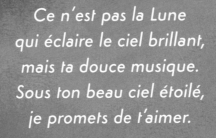

Ce n'est pas la Lune
qui éclaire le ciel brillant,
mais ta douce musique.
Sous ton beau ciel étoilé,
je promets de t'aimer.

Tsuki est songeuse. Son père lui dit
alors :
— Ma belle enfant, il est grand
temps de te marier.
— Oui, papa, mais à une
condition : j'épouserai celui qui
m'apportera le trésor dont je rêve.

Le jour suivant, deux princes se
présentent au palais.

Tsuki demande au premier prince
de lui rapporter une branche de
l'arbre aux fruits de bijoux.
— Cet arbre légendaire est en or
et pousse sur une montagne
flottante, lui précise-t-elle.

Au deuxième prince, Tsuki
demande un précieux coquillage
caché dans le nid des hirondelles.

Le troisième prince arrive en fin de journée.

— Excusez-moi d'arriver si tard, j'habite si loin que j'ai dû chevaucher toute la journée.

— Seigneur, reprenez votre souffle. Sachez que pour m'épouser, vous devrez me rapporter le vrai bol en pierre du Bouddha.

— Très bien, princesse, je le trouverai sans problème, dit le prince Nalikinnomalo.

Les princes amoureux descendent au port et prennent la mer.

Le premier prince nommé Hosomenomiushi, ce qui veut dire « maigrichon » en japonais, fait cap vers le Nord. Il vogue des jours et des jours dans son bateau.

Puis, un matin, il aperçoit au loin une montagne flottante aux reflets de toutes les couleurs. Hosomenomiushi accoste au pied de la montagne et l'escalade aussitôt. À mi-chemin, au détour d'un énorme pin, il entend tout à coup :

— Bonzour, bel étranzer !

— Bonjour, petits lutins, dit le prince.

— Tu viens zouer avec nous ?

— Non, non, mes amis. Je n'ai pas le temps, je cherche l'arbre aux fruits de bijoux. J'ai promis à ma belle princesse de lui en rapporter une branche.

— Ooooh, pour ta belle princesse ! Viens, suis-nous, l'arbre à bizoux est tout près d'ici, dit un lutin.

Les petits lutins entraînent
Hosomenomiushi dans un joli sentier
de mousse.

— Voici l'arbre à bizoux, mon ser
ami. Ze t'en coupe une bransse avec
ma serpe mazique.

— Quelle belle branche, comme elle
brille! Merci, merci petit lutin. Grâce
à toi, j'épouserai ma bien-aimée.

— Au revoir et longue vie à vous
deux, dit le lutin.

Le prince reprend la mer. Mais le vent est capricieux. Il souffle d'un côté, puis de l'autre. Quelle horreur ! Un bateau pirate fonce droit sur lui. On entend les pirates chanter à tue-tête.

Nous sommes des pirates,
on aime se battre.
Quand on a la rage,
on monte à l'abordage !
Arrrgh ! Arrrgh ! Arrgh !...

On aime l'or,
on veut vot' trésor.
Tous vous tuer,
les requins vous manger.

Nous sommes des pirates,
on aime se battre.
Quand on a la rage,
on monte à l'abordage !
Arrrgh ! Arrrgh ! Arrgh !...

La nuit tombée,
on sort notre épée.
Pirates dangereux
n'ont pas peur des dieux.

Nous sommes des pirates,
on aime se battre.
Quand on a la rage,
on monte à l'abordage !
Arrrgh ! Arrrgh ! Arrgh !...

Sur la mer,
on fait la guerre.
C'est nous la loi,
c'est nous les rois.

Nous sommes des pirates,
on aime se battre.
Quand on a la rage,
on monte à l'abordage !
Arrrgh ! Arrrgh ! Arrgh !...

Hosomenomiushi est pris dans une effroyable bataille. Les pirates tuent le prince et volent sa précieuse branche aux fruits de bijoux. Le bateau, complètement détruit, coule tout au fond de la mer.

Pendant ce temps, le deuxième prince, Futomenomikoto, ce qui veut dire « grassouillet » en japonais, fait voile vers le Sud. Un soir, après avoir jeté l'ancre de son voilier, il monte sur le pont pour prendre une bonne bouffée d'air frais.

— Ma foi, j'entends le gazouillis des hirondelles, dit le prince. Leur nid doit être tout près. Je vais y trouver mon précieux coquillage.

Futomenomikoto descend du bateau. Une musique de fête résonne au loin.

Le prince s'enfonce dans la forêt, mais il fait très noir. Les moustiques, attirés par la lumière de sa lanterne, arrivent de tous bords, tous côtés. Futomenomikoto se fait piquer dans le cou, derrière les oreilles, sur les fesses et même entre les orteils ! Ouille, ça grattouille ! Épuisé, découragé et tout piqué, le prince s'endort dans une grotte, près de là.

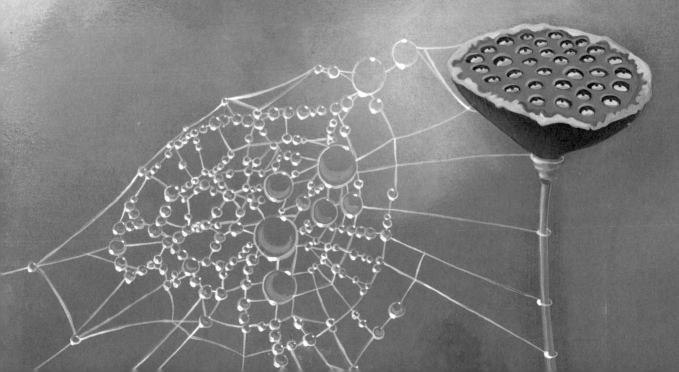

Le lendemain matin, le gazouillis des hirondelles le réveille. Il aperçoit leur nid tout en haut de la grotte. Vite, le grassouillet Futomenomikoto escalade le mur. Oh! c'est difficile! Ça glisse! Les hirondelles sont furieuses et elles attaquent le prince.
— Pssshhht! Allez-vous-en! les menace-t-il.

Content d'avoir chassé les hirondelles, Futomenomikoto s'étire du bout de ses orteils jusqu'au bout de ses doigts. Ouiiiii, il réussit à prendre le coquillage au fond du nid.

Il ouvre la main pour admirer son trésor.
— Quoi? Une crotte d'hirondelle séchée!

Furieux, le prince perd l'équilibre, dégringole et tombe au fond de la grotte.
— Aïe!!! Au secours! Je ne suis plus capable de bouger!

Pauvre Futomenomikoto, il s'est cassé le dos en tombant. Il ne peut plus se lever, ni marcher. Il ne reverra donc jamais la princesse.

À des milliers de lieues de la grotte, Nalikinnomalo, ce qui veut dire « riche et vaniteux » en japonais, cherche le fameux bol du Bouddha en Inde.

Un jour, tandis qu'il marche dans la cité, des odeurs épicées l'attirent vers le marché. Il y a des vendeurs de fleurs, de légumes, de fruits et d'épices. Il y a même des nettoyeurs d'oreilles et un charmeur de serpents.

Tout au bout d'une allée, Nalikinnomalo remarque un vendeur de bols. « Ah ! les beaux bols ! Voilà enfin ce que ma belle princesse désire, se dit-il. J'en achète un et je lui dirai que c'est celui du Bouddha. »

Le prince Nalikinnomalo reprend la mer. Des semaines et des semaines plus tard, il revient fièrement au palais.

— Seigneur, vous voilà enfin, dit la princesse. Qu'avez-vous pour moi ?

— Le bol du Bouddha, princesse. Il me l'a remis de ses propres mains.

— Espèce de menteur ! Bouddha est mort depuis très longtemps et ce bol n'est pas le sien. Allez, ouste, sortez d'ici. Je ne veux plus jamais vous revoir !

Tsuki est songeuse. Les jours passent et elle devient de plus en plus soucieuse. Chaque soir, elle joue de la flûte en regardant la Lune.

Ses parents s'inquiètent, car on dirait que
seule sa flûte peut la consoler.

La veille de la pleine lune, Tsuki se confie à ses parents.

— J'ai un secret à vous révéler. Je ne peux pas me marier avec l'un de vos princes, car je ne viens pas d'ici, je suis née sur la Lune. Mon père, le roi de la Lune, a entendu vos prières et il vous a choisis pour me protéger des guerres célestes. Depuis quelque temps, il m'envoie des messages. La guerre est maintenant terminée et, demain, je devrai retourner dans mon royaume.

Monsieur Sakaki et Madame Aiko sont bouleversés.

Le lendemain soir, une lumière blanche rayonne jusqu'au sol. Tsuki se précipite dans le jardin. Un vaisseau, suivi d'un cortège de fées, descend du ciel. Les portes du vaisseau s'ouvrent. Une fée aux cheveux argentés s'avance vers Tsuki et lui remet une précieuse petite bouteille en forme de lune. Émue, Tsuki se tourne vers ses parents.

— Je suis triste de vous quitter, car je vous aime de tout mon cœur. Pour vous remercier de m'avoir accueillie, je vous offre ce philtre magique. Il vous rendra immortels comme moi.

Les fées habillent leur princesse d'une magnifique robe en étoffe de lune. Instantanément, Tsuki oublie toute sa vie sur la Terre. Elle monte dans le vaisseau qui s'envole aussitôt vers la Lune.

— Adieu, Tsuki! sanglotent ses parents adoptifs.

La lumière du vaisseau s'allonge, puis disparaît dans le ciel.

Le vieux couple pleure en silence et retourne tranquillement au palais. Chemin faisant, Monsieur Sakaki et Madame Aiko parsèment les gouttes du philtre magique dans la forêt. « À quoi bon vivre éternellement sans Tsuki ? se disent-ils. Mieux vaut offrir l'immortalité à cette généreuse forêt. »

Quelques années plus tard, sentant la mort approcher, Monsieur Sakaki et Madame Aiko écrivent une lettre à leur chère Tsuki. « Mais comment lui faire parvenir ? » s'interrogent-ils.

Le sage du village leur conseille de monter sur la plus haute montagne du pays et d'y brûler la lettre : « Sa fumée s'envolera jusqu'à la Lune, emportant ainsi le message à Tsuki. »

La légende raconte que la brume blanche qui s'échappe du mont Fuji provient de cette lettre qui brûle encore.

C'est le mythe du Fuji san, la montagne sacrée du Japon.

La Nef

La Nef est une compagnie de création et de production œuvrant dans les musiques anciennes et de tradition orale, les musiques du monde et la musique de création. Ses activités s'adressent à un public de tous âges. Sous la direction artistique de Sylvain Bergeron et de Claire Gignac, et de Suzanne De Serres aux activités jeunesse, la compagnie produit des concerts, des disques, des contes musicaux pour les jeunes et des spectacles pluridisciplinaires.

En nomination et lauréate de nombreux prix, dont plusieurs prix Opus, La Nef se distingue par la signature unique de ses productions. En s'entourant d'artistes doués et inventifs issus des horizons les plus divers, elle crée des musiques originales, des univers sonores et des aspects scéniques fascinants. Les concerts et la musique de La Nef charment le public et le font voyager à travers le monde et dans le temps.

La Nef remercie de leur soutien le Conseil des arts et des lettres du Québec, le Conseil des Arts du Canada, le Conseil des arts de Montréal, la Ville de Montréal, arrondissement Mercier-Hochelaga-Maisonneuve, ainsi que le ministère de l'Éducation, du Sport et du Loisir (« Une école montréalaise pour tous »).

Yuki Isami

Yuki Isami poursuit une brillante carrière de soliste, de chambriste, de musicienne d'orchestre et de pédagogue.

Interprète accomplie à la flûte traversière et aux instruments traditionnels japonais, elle est très sollicitée sur la scène montréalaise et lors de prestigieux festivals en Amérique du Nord, au Japon, en Europe et en Argentine.

Passionnée par le métissage des musiques japonaises et occidentales, Yuki Isami participe depuis 2010 à divers projets, tels que cette collaboration avec Suzanne De Serres et La Nef.

Remerciements

Un grand merci à mon amie japonaise Yuki Isami qui m'a fait découvrir *Kaguya-hime*, un conte précieux de son enfance. Ensemble, avec une merveilleuse ribambelle d'enfants de l'école Saint-Gabriel-Lalemant, à Montréal, ainsi qu'avec leur fantastique professeur de musique Patrice Côté et le soutien de sa formidable équipe, ce conte traditionnel est devenu le conte musical *Tsuki, princesse de la Lune*.

Un merci tout spécial à Reiko Yamada qui a composé les pièces musicales *La forêt de bambous* et *Le vaisseau*.

Merci à nos pirates préférés, Francis Désilets, Frédéric Laberge et Jean-François Taillon, du groupe Les Murènes, pour leur mémorable interprétation de la *Chanson des pirates*, écrite par les élèves de 4ᵉ année !

Suzanne LeSeung

RICHMOND HILL
PUBLIC LIBRARY
FEB 2 5 2015
CENTRAL LIBRARY
905-884-9288

Les éditions Planète rebelle remercient le Conseil des Arts du Canada de l'aide accordée à leur programme de publication, ainsi que la Société de développement des entreprises culturelles du Québec (SODEC) et le « Gouvernement du Québec – Programme de crédit d'impôt pour l'édition de livres – Gestion SODEC ».

Nous reconnaissons également l'aide financière du gouvernement du Canada par l'entremise du « Fonds du livre du Canada » pour nos activités d'édition.

www.planeterebelle.qc.ca

Mise en pages : Marie-Eve Nadeau
Révision : Janou Gagnon
Correction d'épreuves : Gilles G. Lamontagne

Dépôt légal : 3ᵉ trimestre 2013
Bibliothèque et Archives nationales du Québec
Bibliothèque et Archives Canada

ISBN : 978-2-923735-91-7

© Planète rebelle, 2013

Achevé d'imprimer en septembre 2013
sur les presses de Marquis imprimeur inc.

Imprimé au Canada / Printed in Canada